THE WEE BOOK O' GRANNIES' SAYIN'S

By **Susan Cohen**
Illustrated by **Jane Cornwell**

Text copyright © 2018
Susan Cohen www.susancohen.co.uk

Illustration copyright © 2018
Jane Cornwell www.janecornwell.co.uk

A CIP record of this book is available from the British Library.

Paperback ISBN 978-1-9164915-5-7

First published in the UK in 2018 by The Wee Book Company Ltd.
Second edition 2019. **www.theweebookcompany.com**

Printed and bound by Bell & Bain Ltd, Glasgow.

THIS WEE BOOK IS DEDICATED TAE GRANNIES A'WHERE.

SUSAN, THE AUTHOR AN' HER MUCH LOVED, MUCH MISSED GRANNY,
VIOLET MACINTOSH, WAY BACK WHEN.

JANE, THE ILLUSTRATOR AN' HER BELOVED GRANNY, NANCY GRANT, WHO 'WILL ALWAYS SIT ON HER SHOULDER'.

MA WEE GRANNY

Let's hear it fur wur wee Scottish Grannies! C'mon, let's cry it frae the top o' Ben Nevis tae the banks o' Loch Ness. Thaur's no' wan thing in this muckle great wurld they dinnae huv a ready-made sayin' fur! Aye, they lob it a' richt oot thaur in Granny-Land, nae holds barred, an' life's a' the richer fur it. Ah luvved ma wee Granny, ah really did. She wus ma darlin' Maw's Maw an' jings, a'body luvved her!

She wus a wee wummin wi' a big, brave heart. When she wus a youngster, she wus wild an' free, a braw dancer, winnin' the prize o' 'Charleston Baby' an' leavin' her village hame in the North East o' Scotland tae live in London, workin' as a scullery maid in a big hoose, puttin' oan her best hat an' coat an' walkin' roond yon Piccadilly oan her efternoon auf.

Ah thocht she wus the bees knees an' ah cuid huv listened tae her stories fur days oan end. When ah wus a wean, she taught me how tae dance the Charleston, hangin' oan tae the back o' a wooden chair in wur wee sittin' room, swivellin' ma wee toes an' heels, imaginin' ah wus wearin' a drop-waisted dress an' headband, the way ah thocht ma Granny wuid've done in her hay day.

Ah cuid teach thae Strictly Come Dancin' gadgies a thing or twa' cos ma Granny taught me well. Mind ye, she taught me aboot a' sorts o' things. She stayed in wur back room fur a few years efter ma Grandpa died an' she used tae walk me an' ma wee sister tae school noo an' then. Oan thit short walk, she chatted awa' lik' a guid yin, but it's her funny wee sayin's an' superstitions we a' remember the maist.

Ma wee Granny wuid say stuff like ...

If he didnae blaw, he'd burst!

Tak' ma arm an ah'll dae ye nae harm.

Wear pink tae make the boys wink.

Whit's fur ye won't go past ye!

Keep yer haund oan yer ha'penny 'til the ring's oan yer finger! (Ah didnae understand this wan 'til ah wus much older!)

Ah remember bein' telt thit cos ah hud lang fingers, ah wus artistic ... if ah ate ma crusts, ma hair'd grow curly ... if ah sang afore breakfast, ah'd huv tears afore supper ... ah wus telt nivver tae pick up ma ain dropped glove ... an' ah wus nivver tae sweep the dust oot o' ma ain front door ... if ah broke a mirror, ah wus sure tae huv seven years bad luck ... ah wus nivver tae pass onywan oan the stairs ... an' a'thing comes in threes ... aye, a'thing!

Anyhoo, it git me tae thinkin' how important it wus tae record sum o' thae sayin's wur Grannies telt us o'er the years. Ah've asked aroond family an' friends, ah've rummaged through thae shelves o' thon Scottish National Library, ah've keeked on thon internet an' ah've asked folks oan thon facebook thingummay (thanks tae ma online friends an' tae those on thon braw facebook page, 'Scotland From The Roadside').

The response online tae whit ah assumed tae be a toaty wee question turned oot tae be overwhelmin' an' heartfelt. Here are sum o' the very best sayin's thit came ma way, e'en tho' thaur turnt oot tae be enuf tae fill ten Wee Books! Ah'm oaf the opinion thit tryin' tae translate them wuid detract frae them in mony ways. So, jist huv a wee fly cup o'tea, plonk yer bahoochie doon an' let a' thae wee Grannies' voices echo frae the past.

It's only richt thit this Wee Book shuid be dedicated tae a' wur bonnie darlin' wee Grannies. Whaur wuid we huv bin withoot them?

WHEN THEY'D WAG THE FINGER

Ye can fool a' thae ithers but nae yer auld Granny!

Yer bum's oot the windae.

If ye break yer legs, dinnae come runnin' tae me.

Ye're staundin' thaur lik' a hauf shut knife.

If ye cannae say onythin' guid aboot sumwan, dinnae say onythin' at a'.

Thit's whit happens when ye burn the candle at baith ends.

Dugs a'ways smell their ain dirt furst.

Nivver let yer feet run faster than yer shoes.

Ye'd start a fight in an empty hoose.

Nivver marry fur money, ye'll borrow it cheaper.

A'ways huv yer bus fare hame.

It'll a' end in tears!

High wind'll turn tae rain!

Noo, jist ye hud oan a wee minty!

Ye're lik' a Christmas card – a'ways greetin'.

Starvin'? Ye dinnae ken the meanin' o' hungry.

If ye come hame deid, fit a row ye'd git!

I'll no feel sorry fur ye! (if ye've bin given presents
or sumthin' grand)

If ye dinnae hae time tae dae it richt, when will ye hae
time tae put it richt?

If ye dinnae think ye matter, try missin' a rent payment.

Dinnae trouble trouble 'til trouble troubles ye!

The mair ye greet, the less ye pee.

If ye're too big fur yer breeks ye'll be exposed in the end.

Dinnae dae onythin' thit wuid fricht the hoarses.

Whit ah forgot, ye'll nivver learn!

Ye ken which side yer breid's buttered oan!

Ye ken whit thocht did? It killed the cat.

'Ah want' doesnae git!

'Ah want' gits hee haw!

Go across thit door and ye ken whit ye'll git!

Thaur'll be greetin' here the nicht.

WHEN THEY WUR WARNIN' YE TAE CA' CANNY

Fly wi' the crows, git shot wi' the crows.

A wee keek back keeps ye oan the richt path.

Dinnae test the depth o' the burn wi' yer twa feet.

If ye dinnae see the bottom, dinnae wade.

Bad yins smile too.

Ye cannae sell the coo an' sup the milk tae.

Patience does mair guid than sugar!

Creep afore ye gang.

Think oan, he's as fly as a bag of weasels.

Langest at the fireside soonest finds cauld.

Yer jaikit's oan a shoogly peg thaur.

Bide yer time.

Wan step at a time gits ye thaur.

Slow fires mak' sweet meat.

If ye grasp the nettle, mak' sure thaur's a docken roond aboot.

Jist ye wait, yer day'll come an' it willnae be alain!

Daylight'll keek in through a sma' hole.

Hud oan then git auf.

Lock yer front door an' keep yer neighbour honest.

Be carefoo cos silent dugs bite.

Ne'er put yer haund oot further than yer sleeve will reach.

A wolf may lose his teeth, but he'll nivver lose his nature.

Guid shortbread an' promises aye crumble.

Double check yer measure afore ye dae the cuttin'.

Ye cannae put the shite back in the pony.

Slow richt doon oan lost paths.

Keep yer mooth shut an' yer e'en open.

WHEN THEY WUR BARKIN' OOT ORDERS

Wipe yer fizog!

Close yer legs, ye can see whit ye hud fur breakfast!

Dinnae staund thaur lik' a leek in a tattie field!

Git yersel' changed!

Ye huv a guid Scots tongue in yer heid, use it!

Gaun an' git shiftit!

Wheesht an' ye'll hear the cat pee!

Sing up, ah'll pay the fine!

Wind yer neck in!

Heid doon, erse up!

Dae as ye're telt!

Stop moanin' the face auf us!

Git yer erse in gear!

WHEN THEY WUR BEIN' CRABBIT

If his brains wur made o' dynamite, he cuidnae blaw his hat auf.

Ye're awfy peely wally lookin'.

Yon'll nae set the heather oan fire.

He's git a face thit only a mither cuid love.

Ye're as wide as the Clyde.

Thit wan's thit jammy, if she fell in the Clyde she'd come come oot wi' a salmon in her mooth.

Yon hus mair faces than the toon clock.

Noo jist ye haud oan!

Ye're auf yer nut!

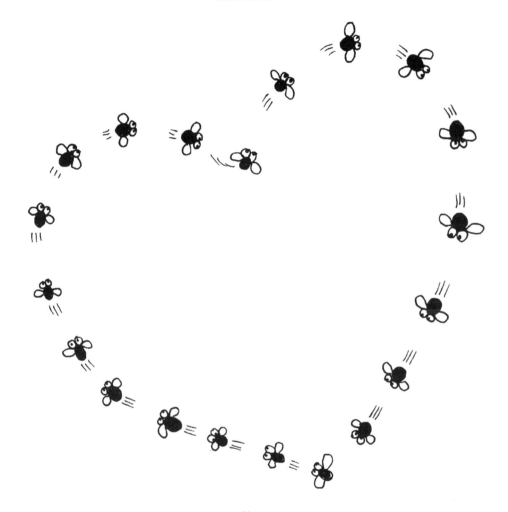

Ye're as wild as the midgie forecast!

Yer face wuid turn milk soor.

He's git a face lik' he's bin dookin' fur chips.

Yon's as dauft as a ha'penny watch.

Ye're as black as the Earl o' Hell's waistcoat.

If ah hud a dug as daft as you, ah'd shoot him.

Better mak' yer feet yer freends.

Sum hae little sense, but ye're aye haverin'.

She's as fly as a jailers monkey!

His twa een are nae neighbours.

Ye're nae the full shillin'.

He's a pavement saint an' a hoose deil.

Ye're sittin' thaur lik' a wee burst balloon.

Thit yin taks a guid bucket! (talkin' aboot the drink)

If ye hud a brain, ye wuid be dangerous.

Save yer breath tae cool yer porridge.

Yer absence is guid company.

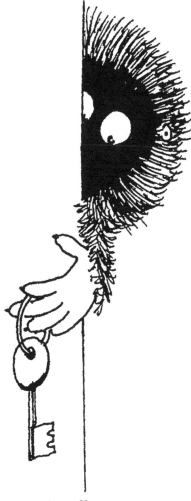

Thaur's wiser eatin' grass.

A' yer jokes are in yer hankie!

She's git a tongue thit cuid clip cloot!

The heat o' their erses werenae lang in dryin' the tears in their een.

She's a' fur coats an' nae knickers.

She thinks her erse is a perfume factory.

The bigger the cheese, the stronger the smell.

'They' git the blame fur a'thing!

Ye're either a' honey or a' dirt.

Yon thinks a' her eggs hae twa yolks.

If the wind changes yer face will stay lik' thit!

Jeez, he's an ill trickit loon!

He's git a fizzer that cuid git a piece at onywan's door.

Her? She cannae see green cheese.

Thicker than shite in the neck o' a bottle.

Glum folk's nae easy guided.

Ye're awfy big ahint the door.

Ye look lik' sumthin' the cat dragged in.

Ye cannae tell yer erse frae yer elbow.

She's awfy pan loafie.

Thit yin wus born wi' a tail.

He's a skitter tryin' tae be a shite!

Ye're a'ways at the coo's tail.

Ye tak' langer than a lassie diggin' fur oil in a net bag.

Ye're nae richt wired up!

He's git a face lik' a meltit welly.

Ye're the wee hen thit nivver laid any.

He's aye blawin' hot air.

He can see a midgie a mile awa',
but he cannae see the wolf at his feet.

He's as slow as a week in the jail.

Ye're puttin' oan the beef!

He's built lik' the side o' a giro.

She's up tae high doh!

He's as handy as a pocket oan a shirt.

Aye, he's git a' his ain back teeth and sum
ither mannie's foreby.

Ye've git a face lik' a skelped erse!

Ye look lik' a dug lickin' pish auf a nettle.

WHEN THEY CAME O'ER A' GALLUS

Aye, thit'll be shinin' bright!

Thit's a sair fecht fur hauf a loaf!

Nivver died a winter yet!

Lik' it or lump it!

Ah'm no' so doaty as a' that!

Awa' an tak' a run up ma hump!

Ah'm fair scunnered o' ye!

Who stole yer scone?

Yer heid's foo o' dominos an' they're aw chappin'!

Am ah richt, am ah wrang?

Yer patter's lik' watter!

Sumwan's gaun tae end up greetin', an' it willnae be me!

The sichts ye see when ye huvnae git a gun.

(Whit's fur tea Granny?) Shite wi' sugar on top!

A jyner? He cuidnae jyn haunds at a weddin'.

Aye, keep the heid an' ah'll buy ye a bunnet.

Gaun git a grip o' yer liberty bodice!

Dae ah look lik' ah'm zipped up the back?

Here's yer hat, whit's the hurry?

Yer een are bigger than yer belly!

Awa' an' tak' yer fizzer fur a party an' smile!

(Whit's oan at the pictures, Granny?) Pictures an' seats an' occasional lumbers.

(Whaur's that thing, Granny?) Haungin' frae ma nose cryin' tarzan!

In the name o' the Wee Man!

Ah'm nivver auf the heed o' the road!

WHEN THEY WUR OAN THE RADGE

I'll gie ye laldie!

Weel, hell mend ye!

Dae ye think ah came up the Clyde in a banana boat?

Awa' tae buggery!

Awa' an' raffle yer semmit!

Ye're a' bum an' parsley!

Awa' an' lie in yer ain pish!

Ye'll git yer heid in yer haunds!

Oot! Scoot! Beat it!

Well, hell slap it intae ye!

Bite ma scone!

Gie's peace, will ye?

Awa' an' play wi' the buses!

Ah'll tak' ma haund auf yer lug!

If ah git rid o' the deil, ah want nothin' tae dae wi' his brother.

Whit are ye oan?

Ye're jist tryin' tae stir it!

Awa' an' bile yer heid an' mak' dauft soup!

Haud yer wheesht.

Ye're rippin' ma knittin'!

Ah'll gie ye a clip roond the ear!

Ah'll wipe thit dauft grin auf yer coupon!

Ah'm no' as green as ah'm cabbage lookin'!

Ye'll be laughin' oan the other side o' yer face in a minute!

Stop yon greetin' or ah'll gie ye sumthin' tae greet fur!

Ye're talkin' a load o' mince!

Yer Maw's a man and yir auld man's a whippet!

Dinnae be a wee clipe.

Awa' an' fry yer erse!

Fun's fun but tae hell wi' nonsense!

Ye cuid whine fur Scotland!

WHEN THEY WUR TALKIN' ABOOT SPONDOOLICKS

If ye dinnae ask, ye dinnae git!

Look efter thae pennies an' thae pounds
will look efter themsel's.

The price o' a'thing's gaun up an' doon lik'
a hoor's knickers.

Talkin' willnae pay the rent.

A penny saved is a penny gained.

Money is flat an' it's meant tae be piled up.

Nivver a borrower or a lender be.

Penny wise an' pound foolish.

Nae problem is real money.

Tae hell wi' poverty, we'll fry the canary!

Tae hell wi' poverty, put anither pea in the pot!

Mair than enough is ower much.

When the cup is foo, carry it even.

Mony a mickle maks a muckle.

Money's lik' a midden, it does nae guid 'til it's spread.

Thaur's nae pockets in a shroud.

If yer ain siller buys it, it'll be polished.

Happy an' a ha'penny is wurld's gear enuf.

Huv a rich life, regardless o' yer siller.

A foo purse nivver lacks freends.

A licht purse maks a heavy heart.

Dae ye think money grows oan trees?

Cut yer cloth tae suit.

A' things hae an end, but a loaf has twa.

God sends us claith accordin' tae wur cauld.

Och, if ye hud a'thing whaur wuid ye keep it?

Better half an egg than empty shells.

Ask yer purse whit ye shuid spend.

Guid health is better than wealth.

Frae savin' comes havin'.

Enuf is as guid as a feast.

WHEN THEY TALKED ABOOT STUFF AT HAME

Naebody's in but the fire, an' the fire's oot.

Ye'll huv hud yer tea?

Come ben, an' bide a wee.

Ca' again, ye're nae a ghost!

Ivry burd thinks its ain nest is best.

Come in aboot the body o' the Kirk!

Hunger is the best kitchen.

Ah cuidnae eat a platefoo, ah'll jist huv a wheen.

Whaurs ma Cowdenbeath? (teeth)

Whaurs ma Dunbarton rocks? (socks)

Ye mak' a better door than a windae.

It's lik' thae Blackpool illuminations in here!
(cos a' the lichts huv bin left oan)

Better a sma' fish than an empty dish.

Shut the door! Wur ye born in a barn, or wus yer father a glassier?

Come in if yer feet's clean!

If you dinnae eat it, ye'll wear it!

Who bought thon cheap jam? Ye git a prize if ye find a strawberry.

Ah cuid fair go a wee French fancy wi' ma tea.

Ah'm awa' tae buy the messages!

Ah'm thit hungry ah cuid eat a scabby heided wean!

C'mere 'til ah fix yer hat. It's awa' tae wan side lik' Gourock.

Glad tae see yer back again! (when sumwan wus leavin')

Yer Grandpa's lik' the weather – nae pattern.

Crofts an' castles baith git rain.

Ah'm wabbit an' drookit an' glad tae be hame.

WHEN THEY GAVE YE THAE WEE GOLDEN NUGGETS ABOOT LIFE

Live noo, no' back.

Thaur's nae richt way tae dae the wrang thing.

Tae marry is tae halve yer richts an' double yer duties.

Wan guid Scots faither is worth hauf a dozen o' thae teachers.

Let the boy play wi' the knife, he'll soon learn!

Pass yer gas at a peep!

The deil's baits dinnae creep.

Failin' at least means ye're playin'.

Best tae act dauft an' git a free hurl!

When the drink's in, the wit's oot.

A'ways buy a guid pair o' shoes an' a guid mattress, cos if ye're no' in wan, ye're in the ither.

Feelin' sorry fur yersel's nae medicine.

If ye can see the hills it's gaun tae rain, if ye cannae see the hills it's a'ready rainin'.

Rainbows come oot o' raindrops.

Dinnae pour water oan a drooned moose.

Dinnae criticise ither folk cos ye're nae oot o' this wurld yet.

Cannae hus nae craft.

Auld sparrows are ill tae tame.

Followin' a fool is foolish.

If ye want sumthin' done, ask a gadgie who's busy.

Ye'll no' find mony atheists oan a shipwreck.

We huv a' the time thaur is.

The best present is yer time.

Use whit ye've git an' ye'll nivver want.

Break your cannaes and mak' pictures.

Thaur's nivver a hee withoot a haw.

Fools see ithers' faults an' forget their ain.

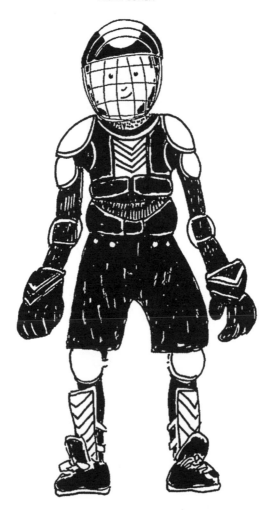

Fallin' weans are sorry but wiser.

Wha's the guid o' haein' a dug an' barkin' yersel'?

'Nearly' nivver filled a kirk yard yet.

Throwin' dirt digs yer ain hole.

The tables arenae a'ways roond but they'll sure as hell turn.

Put a workin' man oan horseback and he'll ride straight tae hell.

Ivry man fur himsel' an' God fur us a'.

Danger past, God forgotten.

Pit mair in than ye tak' oot.

Eagles fly alain, but sheep herd the gither.

An idle brain is the deil's smiddy.

Be the thing ye wuid be ca'd.

It's the wee stones nae the big hills thit trip ye up.

Bad temper jist maks the problem wurse.

Keep yer ain counsel.

Ye're only here a wee while, sae be nice.

Dae weel an' dread nae shame.

Quietness is best.

Richt wrangs nae man.

Weel begun is hauf done.

Weans wi' big lugs tak' it a' in.

Dinnae live yer life in a dwam.

Tell the truth an' shame the deil.

Thon road tae hell is paved wi' guid intentions.

Gittin' up's mair important than fa'in doon.

Wheriver ye may be, let yur wind gang free. In church or chapel, let it rattle!

They thit live langest see the maist.

Ower helpin' maks naebody aware o' the burden.

Stretch or starve.

The coo thit's furst up gits the furst o' the dew.

Five minutes early is oan time.

Thaur's nae fool lik' an auld fool.

A man's hat in his haunds ne'er did him any harm.

A'body's strange but me an' you an' ye're a wee bit!

Yer time is yer ain, dinnae let ithers spend it.

Better tae be an auld man's darlin' than a young man's fool.

Gie it oot an' git it back.

If it's wurth daein', it's wurth daein' well.

Thaur's twa things in life shuid be enjoyed nakit an' wan's yer dram o whisky.

Better tae regret sumthin' ye've done than sumthin' ye huvnae.

Nae rain an' jist sun maks a' deid.

A blind man runnin' fur his life wuidnae notice.

Dae it when it's a wee job an' no' a big wan.

Dinnae let a' the bunnets go waitin' fur a hat.

Dae mair than jist dream aboot it.

Nae point livin' and wantin'.

Think mair than ye say.

Auld baits an' auld freends are a comfort.

Better tae be alain than in bad company.

A misty morn' may become a clear day.

An honest man doesnae carry a salmon unner his coat.

If wishes wur horses, tramps wuid ride.

Ye a'ways find whit ye're lookin' fur in the last place ye look.

Ye'll nivver plough a field by turnin' it o'er in yer mind.

If the deil finds an idle man, he sets him tae wurk.

Wurry blunts yer blade.

Be the you ye came tae be.

Nivver throw yer granny auf a bus.

We're a' Jock Tamson's bairns.

Hae life richt tae the end!

WHEN A'S SAID AN' DONE

Thae Grannies wuid a'ways hit their targets, eh? Aye, richt between the een! Fur chuff's sake, they hud ways o' expressin' themselves thit wuid put yon Shakespeare gadgie tae shame, an' let's face it, unner loads o' thae wee sayin's lies a bedrock o' age auld wisdom, so let's keep thae sayin's alive. C'moan, thit'll no' only honour wur memories o' wur darlin' wee Grannies but it'll torment wur weans tae buggery as weel! Ivry wan's a winner!

A WEE BIT O' HELP WI' SUM O' THAE TRICKY SCOTS WURDS!

ahint .... behind

bahoochie .... backside

baits .... boots

breeks .... trousers

beef .... weight (as in putting on weight)

bunnet .... hat

burn .... stream

cauld .... cold

claith .... cloth

clip .... cut

clipe .... tell-tale

cloot .... piece of cloth

coupon .... face

crabbit .... bad tempered

deil .... devil

doaty .... doddery (with age)

docken .... dock leaf (used for healing stings)

dookin' .... diving your head into liquid to get hold of something between your teeth

drookit .... soaking wet

dwam .... daydream

een .... eye(s)

erse .... backside

fecht .... fight

fly .... cunning

foreby .... also

fizog/fizzer .... face

gadgie .... man

gallus .... mischievous, cheeky

greetin' .... crying

hump .... curvature of the spine

hoor .... lady who kind of likes male company (a bit too much, in Granny's view!)

hurl .... a go (as in 'give it a go!')

jammy .... lucky

jyner .... joiner

keek .... a look

laldie .... a thrashing

loon .... boy

lugs .... ears

lumbers .... smooches, kisses and cuddles (ahem!)

midden .... a mess, a compost heap

midgie .... insect found in the Highlands that
swarms with its mates and bites!

mickle/muckle .... a little/a lot

minty .... minute

nakit .... naked

patter .... chat

peely wally .... pale

pish .... pee

ower .... too much

radge .... rage

sair .... sore

scabby .... rough-looking

scunnered .... fed up

semmit .... vest

shoogly .... unsteady

siller .... silver (coins)

skelped .... spanked

spondoolicks .... money

wabbit .... exhausted, washed out

wean .... child

wheen .... small amount

wit .... sense (as in good sense)